그리스도인의 확신

LESSONS ON ASSURANCE

임성은 213-220-1900
흥현진 253-561-5674

윤석영 714-329-5542

윤경자 949-230-0408

(방망) 강정훈 626-665-2486

이상욱 562-233-1258

CHRIST

(2층)

장석민 612-5788

장신혜 714-681-6304

네비게이토 출판사
TO KNOW CHRIST AND TO MAKE HIM KNOWN

네비게이토 선교회는
국제적이며 복음적인 기독교 기관이다.
예수 그리스도께서는 자기를 따르는 자들에게
"너희는 가서 모든 족속으로 제자를 삼으라"
(마태복음 28:19)는 지상사명을 주셨다.
네비게이토 선교회는 세계 모든 국가에서
예수 그리스도의 일꾼들을 배가시켜
이 지상사명을 성취하는 일을 돕는 것을
근본 목표로 하고 있다.

네비게이토 출판사는
네비게이토 선교회의 문서 선교를 담당하고 있다.
본 출판사에서는 그리스도인의 영적 성장을 돕는
서적과 자료들을 출판하여,
그리스도인의 삶의 기초가 견고한
헌신된 제자로 성장하고,
나아가 성숙한 인격과 지도력을 갖춘
일꾼이 되도록 돕고 있다.

차 례

머리말

확신한다는 것은 '모든 의심에서 벗어나는 것'입니다. 그리스도인의 확신은 하나님께서 그리스도인들에게 주신 몇 가지 기본적인 약속들에 관하여 당신 자신이 확신을 가지며 '모든 의심에서 벗어나도록' 하기 위하여 만들어졌습니다. 본 그리스도인의 확신에 소개되는 구절들을 암송하고, 묵상하고, 공부하고, 적용해 나감으로써 당신은 이 목표를 이룰 수 있을 것입니다. 하나님의 말씀을 암송, 묵상, 공부해 나갈 때 당신은 하나님의 약속을 너욱 잘 이해할 수 있게 됩니다.

먼저 각 과의 첫머리에 소개되는 구절을 암송하십시오. 암송을 시작하기 전에 **그리스도와의 새출발**에 있는 설명을 읽으십시오. 암송을 할 때는 본문과 함께 주제와 장절까지 반드시 외우기 바랍니다. 이렇게 하기 위하여 암송을 시작할 때에 주제와 장절을 외우고, 마칠 때에 장절을 되풀이하여 외우는 것입니다. 예를 들면, "구원의 확신, 요한일서 5:11,12, … 본문 … 요한일서 5:11,12"의 순서로 하는 것입니다.

한 번에 한 문구씩 외우십시오. 즉 "구원의 확신, 요한일서 5:11,12, '또 증거는 이것이니…'" 식으로 외우십시오. 그리고 당신이 이 부분을 다 외울 때까지 여러 번 반복하십시오. 그러고 나서 또 다음 문구를 더하십시오. 이 구절 전체를 완전하게 암송할 때까지 이러한 과정을 여러 번 반복하십시오.

성경 암송에서 가장 중요한 것은 복습입니다. 복습하고, 복습하고, 복습하십시오! 이것은 당신이 암송한 것을 계속 기억하는 데 도움을 줍니다. 매일 각 구절을 꼭 복습하십시오. 당신이 어느 곳을 가든지 암송 카드를 가지고 다니면서 틈틈이 짧은 시간도 이용할 수 있습니다.

이 책은 각 과마다 다섯 부분으로 나누어져 있습니다.

❖ **암 송**　　먼저 그 구절을 암송하십시오.

❖ **묵 상**　　각 구절의 내용과 의미를 생각해 볼 수 있도록 마련되어 있습니다.

❖ **문 답**　　각 구절의 중심되는 문구와 성경의 다른 관계 구절을 연관 지어 공부할 수 있도록 되어 있습니다.

❖ **외워 쓰기**   당신이 그 구절을 완전하게 암송했는지 당신 자신이 점
검해 볼 수 있도록 되어 있습니다.

❖ **적 용**   당신이 암송하고 공부한 구절을 삶 가운데 적용하는 방
법을 보여 줍니다.

암송, 묵상, 공부, 적용의 과정을 계속해 나가는 동안 당신은 모
든 의심에서 벗어나 그리스도와의 새출발에 제시된 구절들이 보여
주고 있는 원리들을 올바로 이해하고 그 원리대로 살아갈 수 있게
될 것입니다.

본 책자에 소개되는 구약성경 구절들은 편리하게 볼 수 있도록
이 책 맨 뒤에 수록했습니다.

구원의 확신

먼저 요한일서 5:11-12을 외우십시오.

묵 상 요한일서 5:11-12

영생은 누가 줍니까? _____ _____

영생은 어디에 있습니까? _____

영생은 누가 소유하고 있습니까? _____

영생이 없는 사람은 누구입니까? _____

" 내가 하나님의 아들의 이름을 믿는 너희에게 이것을
쓴 것은 너희로 하여금 너희에게 영생이 있음을 알게
하려 함이라." 요한일서 5:13

"…증거는 이것이니…"

1 하나님께서는 당신에 대한 사랑을 어떻게 보여 주셨습니까?
로마서 5:8

2 성경은 왜 기록되었습니까? 요한복음 20:31

"…하나님이 우리에게 영생을 주신 것과…"

3 인간의 죄는 어떤 결과를 가져왔습니까? 이사야 59:2

4 하나님께 노날하려는 인간의 노력은 왜 헛됩니까? 에베소서 2:8-9

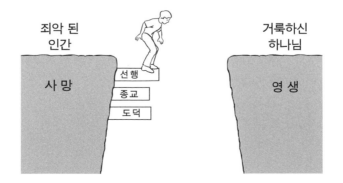

5 하나님께서는 인간들을 자신에게로 인도하기 위하여 어떤 일
   을 하셨습니까? 베드로전서 3:18

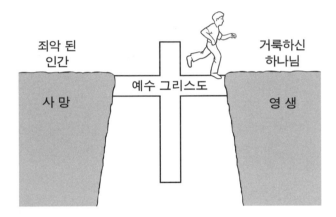

6 사람은 어떻게 구원의 선물을 받습니까? 요한복음 1:12

"…아들이 있는 자에게는 생명이 있고…"

7　요한복음 5:24에 의하면, 듣고 믿음으로 얻는 세 가지 결과는
무엇입니까?

현 재

미 래

과 거

8　요한복음 10:27-29에서, 예수님께서는 자기를 따르는 자들에
게 무엇을 약속하셨습니까?

9 어떤 사람이 그리스도인이 되면 무슨 변화가 일어납니까? 고린
도후서 5:17

다음 중 당신의 삶 가운데서 경험한 변화는 어떤 것들입니까?
(해당란에 표시하십시오.)

❏ 내적 평안

❏ 죄에 대한 새로운 인식

❏ 죄로부터의 승리

❏ 하나님을 향한 새로운 사랑

❏ 성경을 읽고자 하는 마음

❏ 태도의 변화

❏ 용서하려는 마음

❏ 다른 사람들에 대한 새로운 관심

외워 쓰기 요한일서 5:11-12

---   ---   ---

적 용 요한일서 5:11-12

요한일서 5:11-12을 묵상하면서 이 구절을 당신의 삶에 어떻게 적용할지 생각해 보십시오.
당신이 영생을 소유한 것을 어떻게 아십니까?

이제 잠시 멈추어 하나님께서 예수 그리스도 안에서 당신에게 주신 모든 것들에 대하여 감사하는 기도를 하십시오.

요한일서 5:11-12을 계속 복습하십시오.

기도 응답의 확신

먼저 요한일서 5:11-12을 복습하십시오.
정확하게 암송하였으면 ☐에 표시하십시오.

☐ 요한일서 5:11-12

이제, 요한복음 16:24을 외우십시오.

묵 상 요한복음 16:24

기도란 무엇입니까? _____

누구의 이름으로 기도해야 합니까? _____

기도의 결과는 무엇입니까? _____

"지금까지는 너희가 내 이름으로 아무것도 구하지 아니하였으나…"

1 마태복음 7:7-8에서 예수님께서는 기도에 대하여 무엇을 가르쳐 주셨습니까?

2 응답받는 기도의 중요한 조건은 무엇입니까?

요한복음 15:7

요한일서 5:14-15

"…구하라, 그리하면 받으리니…"

3 기도에 하나님께서는 특별히 어떻게 응답하십니까?

예레미야 33:3

에베소서 3:20

4 마태복음 7:9-11을 읽으십시오.
하나님께서는 자기 자녀들에게 어떤 종류의 선물을 주십니까?

하나님 보시기에 당신에게 해로운 것을 구했을 때 어떻게 응답하시리라 생각합니까?

하나님 보시기에 다른 때 응답해 주는 것이 더 나을 경우, 어떻게 해주시리라고 생각합니까?

5 기도 응답을 방해하는 것들은 무엇입니까?

야고보서 4:3

시편 66:18

6 빌립보서 4:6-7을 읽고 아래 빈칸을 채우십시오.

하지 말아야 할 것	
해야 할 것	
하나님의 약속	

"…너희 기쁨이 충만하리라"

7 기도에는 또 어떤 유익점이 있습니까? 시편 34:4

8 사가랴와 엘리사벳이 아들을 얻기 위하여 기도했을 때 어떤 응답을 받았습니까? 누가복음 1:13-14

외워 쓰기 요한복음 16:24

_____   _____

_____

_____

_____

_____

기도의 중요한 네 가지 영역은 다음과 같습니다.

찬 양 (**A**doration)

하나님을 높이는 것입니다. 하나님의 사랑, 능력과 위엄, 하나님의 놀라운 선물인 예수 그리스도를 인하여 하나님을 찬양하십시오.

자 백 (**C**onfession)

당신이 지은 죄를 하나님 앞에 시인하는 것입니다. 솔직하고 겸손 하십시오. 하나님께서는 당신을 잘 알고 계시며, 여전히 사랑하고 계심을 잊지 마십시오.

감 사 (**T**hanksgiving)

하나님께서 당신에게 주신 모든 것에 대하여, 마음에 들지 않는 일까지도, 하나님께 감사하는 것입니다. 감사하는 삶을 통하여 당 신은 하나님의 목표를 더 잘 알게 됩니다.

간 구 (**S**upplication)

특별한 요청입니다. 먼저 남을 위하여 기도하고, 그 다음에 당신 을 위하여 기도하십시오.

이 네 단어의 영어 첫 글자를 따면 'ACTS(사도행전)'가 됩니다. 이것 을 기도의 길잡이로 사용하면 균형 있는 기도의 삶을 유지하는 데 도움이 됩니다.

적용 요한복음 16:24

당신이 오늘 기도할 수 있는 네 영역의 특별한 일들을 적어 보십시오.
잠시 멈추고 당신이 기록한 것을 지금 하나님께 아뢰십시오.

찬 양

자 백

감 사

간 구

요한일서 5:11-12과 요한복음 16:24을 계속 복습하십시오.

승리의 확신

먼저 앞에서 외운 두 구절을 복습하십시오.
정확하게 암송하였으면 다음 ☐에 표시하십시오.

☐ 요한일서 5:11-12   ☐ 요한복음 16:24

이제, 고린도전서 10:13을 외우십시오.

묵 상 고린도전서 10:13

이 말씀은 당신이 당하는 모든 시험이 어떻다고 말하고 있습니까?

_____

당신이 시험을 받을 때 누가 승리를 줄 수 있습니까?

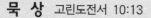

하나님께서는 시험을 제거해 주십니까?

_____

하나님께서는 당신을 위해 무엇을 해주십니까?

_____

"사람이 감당할 시험밖에는…"

1 야고보서 1:2-4에 의하면 시험의 목적은 무엇입니까?

2 각 사람이 유혹을 받는 이유는 무엇입니까? 야고보서 1:13-14

3 이 세상에서 받는 유혹의 세 가지 영역은 무엇입니까? 요한일서 2:15-16

4 베드로전서 5:8을 읽으십시오.
마귀는 어떻게 하려고 당신을 유혹합니까?

당신은 어떻게 대처해야 합니까?

"…하나님은 미쁘사…"

5   하나님께서는 당신을 위해 무엇을 하십니까? 데살로니가후서 3:3

6   히브리서 4:15은 예수 그리스도에 대해서 무엇을 말해 주고 있
     습니까?

"…피할 길을 내사…"

7 유혹이 올 때 죄에 빠지지 않기 위해 당신이 할 수 있는 일들
은 무엇입니까?

마태복음 6:9,13

시편 119:9,11

요한일서 5:4-5

히브리서 4:16

야고보서 4:7

당신의 선택

외워 쓰기 고린도전서 10:13

적용 고린도전서 10:13

당신을 자주 곤경에 빠뜨리는 유혹은 어떤 것입니까?

그것을 감당하도록 하나님께서 주신 '피할 길'은 어떤 것이라고 생각합니까?

요한일서 5:11-12, 요한복음 16:24, 고린도전서 10:13을 계속 복습하십시오.

사죄의 확신

먼저 앞에서 외운 세 구절을 복습하십시오.
정확하게 암송하였으면 다음 ☐에 표시하신시오.

☐ 요한일서 5:11-12 ☐ 요한복음 16:24
☐ 고린도전서 10:13

이제, 요한일서 1:9을 외우십시오.

묵 상 요한일서 1:9

하나님께서는 당신의 죄에 대해서 당신이 무엇을 하기를 원하십니까?

_____

자백한다는 것은 무슨 뜻입니까?

_____

하나님께서는 어떠한 분이시기에 우리의 죄를 용서해 주십니까?

_____

당신이 죄를 자백할 때 하나님께서는 또 어떤 일을 해주십니까?

_____

"만일 우리가 우리 죄를 자백하면…"

1 당신은 자신에 대해 무엇을 인정해야만 합니까? 요한일서 1:8,10

2 당신은 죄에 대하여 어떠한 태도를 가져야 합니까?
시편 139:23-24

시편 38:18

3 죄를 자백함과 동시에 무엇이 따라야 합니까? 잠언 28:13

"…저는 미쁘시고 의로우사… 사하시며… 깨끗케 하실 것이요"

4 시편 86:5에는 하나님께서 어떤 분으로 묘사되어 있습니까?

5 당신이 죄 사함을 받는 근거는 무엇입니까? 에베소서 1:7

6 그리스도의 희생에 대하여 히브리서 10:12은 무엇이라고 말해 주고 있습니까?

7 당신이 이미 자백한 죄에 대하여 계속 죄의식을 느끼는 것은
어리석은 일입니다. 왜 그렇습니까? 히브리서 10:17

8 하나님의 용서를 체험한 당신은 다른 사람들에게 어떤 태도를
가져야 합니까? 에베소서 4:32

외워 쓰기 요한일서 1:9

_____

_____

_____

_____

_____

적용 요한일서 1:9

당신이 아직 자백하지 않은 죄가 있습니까?
만일 있다면 적어 보십시오.

그것을 지금 자백하고 요한일서 1:9의 약속을 주장하십시오. 하나님께
서는 당신의 죄를 용서하시고 기억지도 않으십니다. 하나님의 용서에
대해 감사하십시오.

요한일서 5:11-12, 요한복음 16:24, 고린도전서 10:13, 요한일서 1:9을 계속 복습하
십시오.

제 5 과

인도의 확신

먼저 앞에서 외운 네 구절을 복습하십시오.
정확하게 암송하였으면 다음 ☐에 표시하십시오.

☐ 요한일서 5:11-12   ☐ 요한복음 16:24
☐ 고린도전서 10:13   ☐ 요한일서 1:9

이제, 잠언 3:5-6을 외우십시오.

묵 상 잠언 3:5-6

당신이 해야 할 세 가지는 무엇입니까?

_____

_____

_____

그렇게 할 때 당신에게 무엇이 약속되어 있습니까?

_____

"…여호와를 의뢰하고…"

1 하나님께서 당신을 위하여 해주시리라고 믿을 수 있는 것은 무엇입니까? 시편 32:8

2 로마서 12:1-2을 읽으십시오.
하나님의 뜻을 발견하기 위하여 어떤 단계를 밟아야 합니까?

하나님의 뜻은 어떻게 표현되어 있습니까?

3 하나님께서는 누구에게 특별한 축복을 약속하십니까? 예레미야 17:7

"···네 명철을 의지하지 말라···"

4 예레미야 17:5에서 하나님께서는 어떤 경고를 하십니까?

5 당신은 왜 인간의 명철로 자신을 제한해서는 안 됩니까? 이사야
     55:8-9

6 예수님께서는 결정을 내리실 때에 어떤 원리를 따르셨습니까?
     요한복음 6:38-39

"···너는 범사에 그를 인정하라···"

7 우리는 어떤 영역에서 하나님을 인정해야 합니까? 잠언 3:6

당신의 삶에서 아직 하나님을 인정하고 있지 못하는 영역은 무엇입니까? (예: 돈 사용, 시간 사용, 직업, 결혼··· 등등)

그 영역에서 하나님을 인정하기 위해 당신은 어떻게 하겠습니까?

"···네 길을 지도하시리라"

8 하나님께서는 그분의 뜻을 분별할 수 있도록 어떤 방법을 주셨습니까?

시편 119:105

고린도전서 2:12

9 당신이 이해할 수 없는 상황에 대해서 당신은 어떻게 해야 합
   니까? 야고보서 1:5-7

10 하나님께서 약속을 이루시기 전에 우리에게 필요한 것은 무엇
   입니까? 히브리서 10:36

외워 쓰기 잠언 3:5-6

_____

_____

_____

_____

_____

적용 잠언 3:5-6

당신의 현재 삶에서 하나님의 인도를 기다리고 있는 것을 기록하십시오.

그것에 대하여 당신은 하나님을 의뢰하면서 무엇을 하고 있습니까?

요한일서 5:11-12, 요한복음 16:24, 고린도전서 10:13, 요한일서 1:9, 잠언 3:5-6을 계속 복습하십시오.

다음 단계…

그리스도인의 생활 지침과 **그리스도와의 동행**은 그리스도인의 확신 및 **그리스도와의 새출발**의 자매편입니다.

그리스도인의 생활 지침은 그리스도인의 성장에 필수적인 8개의 주제로 이루어져 있으며, **그리스도와의 동행**에는 각 주제별로 중심이 되는 구절의 암송 카드가 마련되어 있습니다.

구약성경 인용 구절

시편 32:8   내가 너의 갈 길을 가르쳐 보이고 너를 주목하여 훈계하리로다.

시편 34:4   내가 여호와께 구하매 내게 응답하시고 내 모든 두려움에서 나를 건지셨도다.

시편 38:18   내 죄악을 고하고 내 죄를 슬퍼함이니이다.

시편 66:18   내가 내 마음에 죄악을 품으면 주께서 듣지 아니하시리라.

시편 86:5   주는 선하사 사유하기를 즐기시며 주께 부르짖는 자에게 인자함이 후하심이니이다.

시편 119:9,11   청년이 무엇으로 그 행실을 깨끗케 하리이까? 주의 말씀을 따라 삼갈 것이니이다. 내가 주께 범죄치 아니하려 하여 주의 말씀을 내 마음에 두었나이다.

시편 119:105   주의 말씀은 내 발에 등이요, 내 길에 빛이니이다.

시편 139:23-24   하나님이여, 나를 살피사 내 마음을 아시며, 나를 시험하사 내 뜻을 아옵소서. 내게 무슨 악한 행위가 있나 보시고 나를 영원한 길로 인도하소서.

잠언 3:5-6	너는 마음을 다하여 여호와를 의뢰하고 네 명철을 의지하지 말라. 너는 범사에 그를 인정하라. 그리하면 네 길을 지도하시리라.
잠언 28:13	자기의 죄를 숨기는 자는 형통치 못하나 죄를 자복하고 버리는 자는 불쌍히 여김을 받으리라.
이사야 55:8-9	여호와의 말씀에, 내 생각은 너희 생각과 다르며 내 길은 너희 길과 달라서, 하늘이 땅보다 높음같이 내 길은 너희 길보다 높으며 내 생각은 너희 생각보다 높으니라.
이사야 59:2	오직 너희 죄악이 너희와 너희 하나님 사이를 내었고, 너희 죄가 그 얼굴을 가리워서 너희를 듣지 않으시게 함이니.
예레미야 17:5	나 여호와가 이같이 말하노라. 무릇 사람을 믿으며 혈육으로 그 권력을 삼고 마음이 여호와에게서 떠난 그 사람은 저주를 받을 것이라.
예레미야 17:7	그러나 무릇 여호와를 의지하며 여호와를 의뢰하는 그 사람은 복을 받을 것이라.
예레미야 33:3	너는 내게 부르짖으라. 내가 네게 응답하겠고, 네가 알지 못하는 크고 비밀한 일을 네게 보이리라.

그리스도인의 확신

초판 1쇄 발행 : 1979년 9월 1일
개정 1쇄 발행 : 2009년 3월 20일
개정 5쇄 발행 : 2010년 7월 20일

펴낸곳 : 네비게이토 출판사 ⓒ
펴낸이 : 조성동
주소 : 120-600 서울 서대문 우체국 사서함 27호
　　　　120-836 서울시 서대문구 창천동 497
전화 : 02) 334-3305(대표), 334-3037(주문), FAX : 334-3119
홈페이지 : http://navpress.co.kr
출판등록 : 1973년 3월 12일 제10-111호
ISBN 978-89-375-0345-4　03230